ADIVINHAS

DICIONÁRIO

Ciranda Cultural

DICIONÁRIO

1. **O que significa *must go*?**

2. Como se diz "abrir a porta" em alemão?

3. Como se diz "bombardeio" em alemão?

4. Como se diz "cervo filhote" em italiano?

5. O que significa *tongue*?

6. O que é um *headset*?

7. Como se diz "frasco" em alemão?

As respostas encontradas neste livro são trocadilhos entre o português e outras línguas, não correspondendo à tradução original.

Respostas: 1. Verbo "mastigar"; O cachorro *must go* meu chinelo; 2. Destranken; 3. Bombascaen; 4. Bambino; 5. Uma marca de suco muito famosa no Brasil; 6. Um monstro mitológico que tem sete cabeças; 7. Frask.

DICIONÁRIO

8. O que é *borracho* em espanhol?

9. O que significa *pants*?

10. O que é *Ever all do*?

11. O que significa *sand*?

12. O que significa *Batman*?

13. Como se diz "beijo" em árabe?

Respostas: 8. O Homem Elástico; 9. Objeto que serve para pentear os cabelos; 10. Um nome masculino comum no Brasil (= Everaldo); 11. A cantora que é irmã do Junior; 12. Um homem que gosta de bater em outro; 13. Saliva vai saliva vem.

DICIONÁRIO

14. O que significa "fuio"?

15. Como é a onomatopeia do piado de pintinhos que vivem no interior do Brasil?

16. Como se diz "talco para caminhar" em inglês?

17. Como dizer que um sistema elétrico está cheio de insetos?

18. Como se diz "bicicleta" em italiano?

19. Como se diz "copie bem" em inglês?

20. O que significa *foot*?

21. O que é *floor*?

Respostas: 14. Buraco na parede; 15. "Pir-pir-piri"; 16. Walkie talkie; 17. "Deu bug!"; 18. Quasimotto; 19. Copyright; 20. Alguém que se importa com coisas inúteis e superficiais; 21. Uma plaanta beem boonita com teem foolhas, taalo, péétalas e miooolo.

DICIONÁRIO

22. O que é temporada?

23. Como se chama, em inglês, a mosca que caiu na manteiga?

24. Como se diz "puxe" em inglês?

25. Como dizer, em inglês, que um cachorro está com calor?

26. Como se diz "está muito barata!" em espanhol?

27. O que é um *sweet foot of a boy*?

Respostas: 22. É quando sai briga e tem porrada pra todo lado; 23. Butterfly; 24. Push; 25. Hot dog. 26. ¡Está muy cucaracha!; 27. Um pé de moleque (doce).

DICIONÁRIO

28. Como se diz "cão comendo Donnuts" em russo?

29. O que é um correio eletrônico?

30. Qual o coletivo de "tomate"?

31. Qual o futuro do verbo bocejar?

32. Como se diz "piloto" em russo?

33. O que é um hematoma?

34. O que significa *french*?

Respostas: 28. Troski maska roska; 29. É um sistema que envia o carteiro pela tomada elétrica; 30. Molho; 31. Dormii; 32. Simecaio patacof; 33. É uma mulher que toma de tudo. Exemplo: Ema toma chá; 34. Dianteiro: Ele saiu na french!

DICIONÁRIO

35. Como se diz "queijo de minas" em inglês?

36. O que significa *a hot day*?

37. Qual a clínica médica mais feliz que existe?

38. O que é caratê?

39. Como se fala "coração" em italiano?

40. O que é DDD?

Respostas: 35. Cheese from Mine; 36. Dei um arroto; 37. Clínica de eutorrindolarigologia; 38. E melhor o caratê do que o cara não ter; 39. Mio cardio; 40. Discagem direta com o dedo.

DICIONÁRIO

41. O que significa *boy behind the door*?

42. O que significa *a star in the sky*?

43. O que significa *good ball*?

44. O que significa *all night long*?

45. O que significa *a fair lady*?

46. O que é rodapé?

47. O que é quartzo?

Respostas: 41. Boi berrando atrás da porta; 42. Estar no céu; 43. Bola de gude; 44. Tudo de nylon; 45. A mulher que trabalha na feira; 46. Aquele que tinha um carro e agora roda a pé; 47. É um aposentzo de um apatarmentzo.

DICIONÁRIO

48. O que significa *I will go tomorrow*?

49. O que significa *an ice cream*?

50. O que significa *any time*?

51. O que significa *are you sick*?

52. O que significa *big ben*?

53. O que significa *born to loose*?

Respostas: 48. O gato morreu; 49. Um crime cometido com frieza; 50. "n"vezes; 51. Qual é seu CIC?; 52. Benzão; 53. Nascido em Toulouse.

DICIONÁRIO

54. O que significa *broken heart*?

55. O que significa *fell good*?

56. O que significa *for ever*?

57. O que significa *four seasons*?

58. O que significa *fourteen*?

59. O que significa *free shop*?

60. O que significa "*I'm sad*"?

Respostas: 54. Coração bloqueado; 55. Bom fio; 56. Quatro Evas; 57. Os quatro dentes do siso; 58. Pessoa baixa e forte; 59. Chope de graça; 60. Estou com sede.

DICIONÁRIO

61. O que significa *happy new year*?

62. O que significa *go home*?

63. O que significa *her eyes*?

64. O que significa *good bye*?

65. O que significa *his my son*?

66. O que significa *I don't care*?

67. O que significa *it's ten o'clock*?

Respostas: 61. Feliz ouvido novo; 62. Vá a Roma; 63. As dores dela; 64.Boas compras; 65. Ele é macom; 66. Eu não quero; 67. Ele tem relógio.

DICIONÁRIO

68. O que significa *I want to see my son*?

69. O que significa to man do all?

70. O que significa *I'm hungry*?

71. O que significa *I'm alone*?

72. O que significa *I don't go*?

73. O que significa *I go now*?

Respostas: 68. Eu ontem tossi maçã; 69. O nome de um animal que adora comer formigas (= tamanduá); 70. Eu sou húngaro; 71. Estou na lona; 72. Eu dou um gol; 73. Agora não.

DICIONÁRIO

74. O que significa *to sir with love*?

75. O que significa *merry christmas*?

76. O que significa *she must go*?

77. O que significa *it's too late*?

78. O que significa *oh, my god*?

79. O que significa *know how*?

80. O que significa *go ahead*?

Respostas: 74. Tossir com amor; 75. Maria Cristina; 76. Ela mastigou; 77. É muito leite; 78. Oh, meu gado; 79. Saber latir; 80. Col de cabeça.

DICIONÁRIO

81. O que significa *she's wonderful*?

82. O que significa *the smiths*?

83. O que significa *she's cute*?

84. O que significa *stock car*?

85. O que significa *that's all*?

86. O que significa *so free*?

Respostas: 81. Queijo maravilhoso; 82. Mandar embora: o patrão "the smiths" quem não trabalha; 83. Que ela escute; 84. Estocar, fazer estoque; 85. Ele é o "tal"!; 86. Passei mal, como sofri!

DICIONÁRIO

87. O que significa *to be champion*?

88. O que significa *yellow river*?

89. O que significa *too much*?

90. O que significa *U. S. mail*?

91. **O que significa *apple pie*?**

92. O que significa *with noise*?

93. O que significa *bottom*?

Respostas: 87. Ser campeão duas vezes em seguida; 88. E ela é horrível; 89. Fruto vermelho de fazer salada ou molho: Tem molho de too much?; 90. Meio dos Estados Unidos; 91. Algo que será do pai: Este presente apple pie é dela; 92. Conosco; 93. Colocar.

DICIONÁRIO

94. O que significa *byte*?

95. O que significa *coffee*?

96. O que significa *body*?

97. O que significa *clock*?

98. O que significa *why*?

99. O que significa *eye*?

100. O que significa *day*?

Respostas: 94. Agredir: "Ele sempre byte nas pessoas."; 95. Onomatopeia que representa tosse; 96. Animal que vive no pasto; 97. Marca de panela; 98. Interjeição muito usada por mineiros; 99. Gemido de dor: "eye!, eye!, eye! meu péi"; 100. Verbo dar: "day" um presente para ele.